Y Duw Byw

Myfyrdodau a gweddïau ar natur Duw

Elfed ap Nefydd Roberts

CYHOEDDIADAU'R
GAIR

Cynnwys

Y Duw Byw ⓗ 1995
Myfyrdodau a gweddïau ar natur Duw
Testun gwreiddiol: ⓗ 1993 Scandinavia Publishing House
Testun Cymraeg: ⓗ Cyhoeddiadau'r Gair 1995

ISBN 1 85994 029 3
Argraffwyd yn Singapore

Golygwyd gan Adran Olygyddol y Cyngor Llyfrau Cymraeg
Golygydd cyffredinol: Aled Davies

Cyhoeddwyd gan:
Cyhoeddiadau'r Gair,
Ysgol Addysg C.P.G.C.
Ffordd Deiniol,
Bangor.
Gwynedd.   LL57 2UW.

Rhagair

"Y mae'r Arglwydd yn agos at bawb sy'n galw arno,
at bawb sy'n galw arno mewn gwirionedd."
Salm 145: 18

"Ceisiwch yr Arglwydd tra gellir ei gael,
galwch arno tra bydd yn agos."
Eseia 55: 6

"Neséwch at Dduw, ac fe nesâ ef atoch chwi.
Ymostyngwch o flaen yr Arglwydd,
a bydd ef yn eich dyrchafu chwi."
Iago 4: 8,10

Nid Duw pell, dieithr, amhersonol yw Duw y Beibl, ond un sydd ar waith yn ei fyd, yn bresennol ymhlith ei bobl ac yn agos at bob enaid sy'n ei geisio.

Y mae'n estyn i ni wahoddiad i nesáu ato, i ymostwng ger ei fron, i wrando arno a rhoi'n sylw iddo.

Y mae hefyd yn gwneud addewid y bydd y sawl sy'n ei geisio yn ei ganfod, ac yn canfod ynddo gyfrinach ei fywyd a'i fodolaeth ei hun.

Y mae perthynas â Duw yn bosibl trwy ddefosiwn, gweddi a distawrwydd, am fod Duw eisoes wedi dod yn agos atom ni yn ei Fab Iesu Grist a thrwy ei Ysbryd Glân. Nid oes ond raid i ni ymdawelu yn ei gwmni, ac agor ein meddyliau a'n heneidiau iddo, er mwyn ymwybod â'i agosrwydd, a chanfod ein hunain ym mhresenoldeb y Duw byw.

Duw Goleuni

"Cod, llewyrcha, oherwydd daeth dy oleuni;
llewyrchodd gogoniant yr Arglwydd arnat.
Er bod tywyllwch yn gorchuddio'r ddaear,
a'r fagddu dros y bobloedd,
bydd yr Arglwydd yn llewyrchu arnat ti
a gwelir ei ogoniant arnat.
Fe ddaw'r cenhedloedd at dy oleuni,
a brenhinoedd at ddisgleirdeb dy wawr."
Eseia 60: 1-3

"Llefarodd Iesu wrthynt, 'Myfi yw goleuni'r byd,'
meddai. 'Ni bydd neb sy'n fy nghanlyn i
byth yn rhodio yn y tywyllwch,
ond bydd ganddo oleuni'r bywyd'."
Ioan 8: 12

★

Delwedd yw goleuni a ddefnyddir yn y Beibl i gyfleu natur a chymeriad Duw yn dod yn hysbys i bobl. Y mae datguddiad Duw ohono'i hun fel goleuni yn llewyrchu yn y tywyllwch. Ef ei hun yw'r goleuni, ac ef sy'n dewis ei fynegi ei hun - trwy ei Air, trwy hanes ei ymwneud â'i bobl, trwy dystiolaeth saint a phroffwydi, ac yn fwyaf arbennig trwy ei ddyfodiad i'r byd yn ei Fab Iesu Grist.

Nid canfod y goleuni trwy chwilio amdano neu trwy ymddisgyblu'n ysbrydol i ymgyrraedd ato a wnawn. Y mae pob adnabyddiaeth o Dduw a phob profiad ohono yn bosibl am fod goleuni ei wirionedd wedi tywynnu arnom. Troi at y goleuni hwnnw ac ymagor iddo a wnawn wrth weddïo.

Ceisiwch ganolbwyntio ar bresenoldeb Duw; dychmygwch fod pelydrau ei gariad a'i drugaredd yn tywynnu arnoch, a gofynnwch iddo lenwi eich bywyd â'i oleuni...

★

Arglwydd grasol,
goleuni'r byd
a llewyrch ein heneidiau;
diolchwn i ti
am wneud dy hun
yn hysbys i ni
a'n harwain i'th adnabod
yn dy Fab Iesu Grist.
Cadw ni rhag
colli golwg arnat
a baglu yn y tywyllwch.

Goleua ein meddyliau
i ni dy weld yn gliriach
a chredu ynot
gyda sicrwydd.

Goleua ein calonnau
i ni fwynhau
bod yn dy gwmni
a'th garu'n llwyrach.

Goleua ein gweithredoedd,
i ni dy ddilyn
yn ffyddlonach
ac ymateb yn ufudd
i'th orchmynion.

**Goleua bob un
sydd mewn tristwch,
afiechyd, unigrwydd
a gofid.
Llewyrcha ar eu llwybrau
a gad iddynt,
yn dy oleuni,
gerdded pob cam o'r daith
yn ddiogel;
trwy Iesu Grist dy Fab.
Amen.**

5

Duw Doethineb

*"Trwy ddoethineb y sylfaenodd
yr Arglwydd y ddaear
ac â deall
y sicrhaodd y nefoedd."*
Diarhebion 3: 19

*"Ofn yr Arglwydd yw
dechrau doethineb,
ac adnabod y Sanctaidd
yw deall."*
Diarhebion 9: 10

*"Trwy ei waith ef yr ydych chwi
yng Nghrist Iesu,
yr hwn a wnaed
yn ddoethineb i ni
oddi wrth Dduw."*
1 Corinthiaid 1: 30

Duw yw hanfod a ffynhonnell
pob doethineb ac mewn perthynas
â Duw y mae canfod cyfrinach
gwir ddoethineb – perthynas a
wnaed yn bosibl trwy
ymgorfforiad y doethineb dwyfol
mewn person dynol yn y byd hwn,
sef yn ei Fab Iesu Grist.

A chadw mewn meddwl y
geiriau, "yr ydych chwi yng
Nghrist Iesu," gweddïwch yn
dawel...
am i feddwl Crist lenwi a
llywio eich meddwl chi...
am i ewyllys Crist gywiro a
grymuso eich ewyllys chi...
am i ddoethineb Crist eich
meddiannu, eich goleuo a'ch
sancteiddio...

Arglwydd doethineb,
y mae dy feddyliau di
yn uwch na'n meddyliau ni,
a dirgelwch dy ddoethineb
yn ddyfnach na'n deall ni;
        ond diolchwn
nad wyt wedi'n gadael
mewn tywyllwch ac anobaith,
ond wedi tywallt
dy ddoethineb arnom
yn dy Fab Iesu Grist.

Agor ein meddyliau i'r
gwirionedd sydd yn Iesu;
goleua ein deall
i ni weld y tu hwnt
i ffiniau cyfyng
y byd materol hwn;
pura ein dychymyg
i ni weld dy ogoniant
yn disgleirio
ym mhob rhan o'n bywyd.

    Arglwydd, estyn dy
ddoethineb i bawb mewn
awdurdod:
    i arweinwyr y gwledydd a
phawb sy'n llywodraethu dros
eraill;
    i rieni ac athrawon a phawb
sy'n dysgu a dylanwadu ar blant;
    i ddarlledwyr a
newyddiadurwyr a phawb sy'n
llywio barn eraill;
    i bawb sy'n wynebu problemau
dyrys a phenderfyniadau anodd.

**Arglwydd doethineb,
ym mhopeth a wnawn ac a
feddyliwn, tywys ni i gytgord
â'th feddwl di. Amen.**

Duw Trugaredd

"Trugarog a graslon yw'r Arglwydd,
araf i ddigio a llawn ffyddlondeb...
Fel y mae tad yn tosturio wrth ei blant,
felly y tosturia'r Arglwydd
wrth y rhai sy'n ei ofni."
Salm 103: 8, 13

"Gan mor gyfoethog yw Duw yn ei drugaredd,
a chan fod ei gariad tuag atom mor fawr,
fe'n gwnaeth ni, ni oedd yn feirw yn ein
camweddau, yn fyw gyda Christ."
Effesiaid 2: 4

Trugaredd yw'r wedd honno ar y cariad dwyfol sy'n
ymateb i'n gwendid a'n pechod ni. Er i ni syrthio'n fyr
o ofynion ac ewyllys Duw ar ein cyfer, nid ein collfarnu
na'n cosbi a wna, ond ein cofleidio yn ei drugaredd ac
estyn i ni faddeuant.

Mewn distawrwydd agorwch eich meddwl a'ch calon
o flaen Duw, cyffeswch y beiau a'r diffygion sy'n eich
blino, a rhannwch ag ef eich teimlad o fethiant ac
euogrwydd heb gelu dim oddi wrtho...

Dywedwch yn dawel,

O tyred, Iôr tragwyddol,
Mae ynot Ti dy hun
Fwy moroedd o drugaredd
Nag a feddyliodd dyn:
Os deui at bechadur,
A'i godi ef i'r lan,
Ei galon gaiff, a'i dafod,
Dy ganmol yn y man.
Williams, Pantycelyn

Dad grasol,
pwyswn ar dy drugaredd ac agorwn ein calonnau
yn edifeiriol o'th flaen gan wybod nad oes dim yn
guddiedig oddi wrthyt. Cydnabyddwn i ni bechu
yn dy erbyn ar feddwl, gair a gweithred, tristáu dy
Lân Ysbryd, peri gofid a loes i eraill a dwyn
gwarth ar ein tystiolaeth:
Arglwydd, trugarha.

Cydnabyddwn
y drwg a wnaethom,
y daioni nas gwnaethom,
y beiau bwriadol a gyflawnwyd gennym
a'r niwed a'r poen a achoswyd gan ein
hymddygiad gwael ac anystyriol:
Arglwydd, trugarha.

Cyflwynwn i ti mewn gweddi
y rhai y buom yn ddig a diamynedd wrthynt,
y rhai y buom yn siarad yn faleisus amdanynt,
y rhai y buom yn ddilornus
ac eiddigeddus ohonynt.
Gwna ni'n barod i roi a derbyn maddeuant
a bod yn gyfryngau ac yn adlewyrchiad
o'th drugaredd di:
Arglwydd, trugarha.

Arglwydd Iesu Grist,
Oen Duw sy'n dwyn ymaith bechodau'r byd,
tyrd i ddileu ein pechodau ni,
i'n rhyddhau o'n heuogrwydd,
i adfer ein hurddas,
ac i estyn i ni gyfle newydd, i'th wasanaethu.
Amen.

Duw Cyfiawnder

"Defnynnwch oddi fry, O nefoedd;
tywallted yr wybren gyfiawnder.
Agored y ddaear, er mwyn i iachawdwriaeth egino
ac i gyfiawnder flaguro.
Myfi, yr Arglwydd, a'i gwnaeth."
Eseia 45: 8

"Llifed barn fel dyfroedd
a chyfiawnder fel afon gref."
Amos 5: 24

"Nid oes arnaf gywilydd o'r Efengyl...
Ynddi hi y datguddir cyfiawnder Duw,
a hynny trwy ffydd o'r dechrau
i'r diwedd."
Rhufeiniaid 1: 16-17

★

Y mae'r Beibl yn disgrifio cyfiawnder fel bwriad ac arglwyddiaeth Duw yn ymdywallt ar y byd ac yn llifo trwy fywydau pobloedd a chenhedloedd. Yn Iesu Grist daeth cyfiawnder Duw o fewn cyrraedd pob un sy'n credu ynddo, a gwaith a chyfrifoldeb dilynwyr Crist yw sefydlu cyfiawnder ymhob cylch o fywyd – yn bersonol, yn gymdeithasol, yn wleidyddol ac yn economaidd.

Meddai Jon Sobrino am dystiolaeth yr Eglwys yn America Ladin :

"Cyfiawnder yw rhodd Duw i ni trwy ffydd, ond rhodd ydyw i'w dychwelyd mewn dillad i'r noeth, bwyd i'r newynog, lletty i'r digartref, addysg i'r anllythrennog, gofal meddygol i'r claf a thegwch i'r tlawd."

★

Molwn Dduw,
am bob arwydd
o gynnydd cyfiawnder
mewn cymorth i'r gwan,
cefnogaeth i'r tlawd,
ymrwymiad i heddwch
a chymod,
ac ymhob ymdrech
dros ryddid a hawliau dynol.
(Distawrwydd)

Cyffeswn i Dduw
ein heiddigedd a'n rhagfarnau
sy'n ein gwahanu oddi wrth eraill;
ein syrthni a'n difaterwch
sy'n atal gwaith ei deyrnas,
a'n cyfaddawd
â phwerau anghyfiawn y byd.
(Distawrwydd)

Arglwydd, cyflwynwn i ti
ein llygaid –
i weld angen y byd;
ein clustiau –
i wrando cri yr anghenus;
ein lleisiau –
i siarad drosot;
ein calonnau –
i fynegi dy gariad;
ein dwylo –
i weithredu cyfiawnder;
ein bywydau –
i fyw i'th wasanaethu.
Amen.

Duw Cyfeillgarwch

*"Yr ydych chwi'n
gyfeillion i mi os
gwnewch
yr hyn yr wyf fi'n
ei orchymyn ichwi.
Nid wyf mwyach
yn eich galw yn
weision,
oherwydd nid
yw'r gwas
yn gwybod beth
y mae ei feistr
yn ei wneud.
Yr wyf wedi eich
galw yn gyfeillion,
oherwydd yr wyf
wedi gwneud
yn hysbys
i chwi bob peth
a glywais gan fy
Nhad."*
Ioan 15: 14-16

*" 'Rhoes Abraham
ei ffydd yn Nuw,
ac fe'i cyfrifwyd
iddo'n gyfiawnder',
a galwyd ef
yn gyfaill Duw."*
Iago 2: 23

★

Y mae Iesu yn ein gwahodd i berthynas o gyfeillgarwch ag ef, ond y mae i'r berthynas ei hamodau yn ogystal â'i breintiau. Y breintiau yw cael ein galw'n gyfeillion Iesu a chael rhannu ym meddwl a bwriad Duw. Yr amodau yw ein bod yn caru ein gilydd ac yn ufuddhau i orchmynion Iesu.

Ystyriwch yn ddiolchgar wahoddiad Iesu i fod yn gyfaill iddo...
Dychmygwch Iesu yn eich cyfarch,

"Yr ydych chwi'n gyfeillion i mi,"

a gofynnwch i Dduw eich helpu i ymateb iddo yn llwyr ac yn llawen...

★

Rhown ddiolch i Dduw am ein cyfeillion...

Arglwydd, diolchwn i ti am y cyfeillion a roddaist i ni
ac am bob perthynas o gariad ac ymddiriedaeth
sydd rhyngom.
Diolchwn am y rhai sy'n gwybod y gorau a'r gwaethaf
amdanom ac yn ein caru trwy'r cyfan.
Diolchwn am y rhai sydd bob amser yn barod
i rannu â ni eu cydymdeimlad a'u cefnogaeth.
Diolchwn am y rhai y medrwn chwerthin a wylo
yn eu cwmni.
Diolchwn am y rhai sydd i ni yn gyfryngau
dy gyfeillgarwch dwyfol dy hun.

*Gweddïwn dros gyfeillion Crist ymhob man a thros y rhai sy'n unig
a heb gyfeillion...*

Arglwydd, clyw ein hymbiliau
ar ran dy eglwys fyd-eang, cymdeithas dy
gyfeillion di, o bob cenedl, hil ac iaith;
ar ran y rhai sy'n dioddef gwawd a gwrthwynebiad
oherwydd eu ffyddlondeb i ti;
ar ran y rhai fu unwaith yn gyfeillion iti,
ond sydd bellach wedi dy anghofio;
ar ran y rhai na chawsant erioed gyfle i'th adnabod;
ar ran y rhai sy'n unig, yn amddifad,
ac yn ddigyfaill.

Arglwydd, gwna ni'n gyfryngau dy gariad,
fel y cânt wybod llawenydd dy gyfeillgarwch.
Amen.

Duw Ffyddlondeb

"Ymestyn dy gariad, Arglwydd,
hyd y nefoedd,
a'th ffyddlondeb hyd y cymylau."
Salm 36: 5

"Y mae dy gariad wedi ei sefydlu
dros byth,
a'th ffyddlondeb mor sicr â'r
nefoedd."
Salm 89: 2

"Y mae eich Tad sydd yn y nefoedd
yn peri i'w haul godi
ar y drwg a'r da,
ac yn rhoi glaw i'r cyfiawn
a'r anghyfiawn."
Mathew 5: 45

Cariad digyfnewid a gofal cyson,
parhaol Duw am ei greadigaeth yw
hanfod ei ffyddlondeb.

Nid yw'n gosod amodau na ffiniau ar
ei ffyddlondeb, ac nid yw'n darfod
gydag amser nac yn newid gydag
amgylchiadau.

Ceisiwch weld pob digwyddiad, pob
perthynas, a phob problem yn eich
bywyd wedi eu cwmpasu a'u cynnal gan
ffyddlondeb Duw...

Gadewch i eiriau'r pennill hwn siarad
â'ch angen a'ch sefyllfa chi...

Mae ei ffyddlondeb fel y môr,
Heb fesur, a heb drai;
A'i drugareddau hyfryd sy'n
Dragywydd yn parhau.
Williams, Pantycelyn

14

Â'n holl galon,
â'n holl feddwl
ac â'n holl nerth:
Molwn di, Arglwydd.

Yr wyt yn ffyddlon i ni
er gwaethaf ein methiant,
er gwaethaf ein diffygion,
er gwaethaf ein tlodi ysbrydol:
Molwn di, Arglwydd.

Nid wyt yn cefnu arnom
nac yn anghofio amdanom,
er i ni dy siomi,
er i ni droi oddi wrthyt,
er i ni dy ddiystyru a'th esgeuluso:
Molwn di, Arglwydd.

Am dy ofal mawr amdanom,
am y ddaear yn gartref i ni,
am fwyd yn gynhaliaeth i ni,
am anwyliaid yn gwmni i ni,
am dy ras yn achubiaeth i ni:
Molwn di, Arglwydd.

Gweddïwn dros y rhai
sydd wedi eu siomi
gan anffyddlondeb eraill;
y rhai sydd yn ffyddlon
yn eu ffydd a'u proffes;
y rhai sydd wedi colli
gafael arnat
ac wedi cilio oddi wrthyt:
**Clyw ein gweddi ar eu rhan,
dyfnha ein ffydd
a chadw ni'n ffyddlon i ti'n
wastad. Amen.**

Duw Dioddefaint

"Fe'i harchollwyd am ein troseddau ni,
a'i glwyfo am ein hanwireddau ni;
'roedd pris ein heddwch ni arno ef,
a thrwy ei gleisiau ef y cawsom
ni iachâd."
Eseia 53: 5

"Am iddo ef ei hun ddioddef dan brawf,
y mae'n gallu cynorthwyo'r rhai
sydd yn cael eu profi."
Hebreaid 2: 18

Wrth gymryd arno gnawd a natur ddynol yn
ymgnawdoliad ei Fab, Iesu Grist, daeth Duw yn un â ni
yn ein gwendidau a'n gofidiau.
Yn nioddefiadau Iesu –
ei riddfannau yn yr ardd,
ei ddagrau dros ddinas Jerwsalem,
poenau ei fflangellu
ac ingoedd ei farwolaeth ar y groes – gwelwn nad
anfon nac achosi dioddefaint y mae Duw, ond ei fod yn
cyd-ddioddef â ni ac yn amsugno pob poen i mewn i'w
galon ei hun.

Yn fy natur wedi ei demtio
Fel y gwaela' o ddynol-ryw,
Yno'n ddyn, yn wan, yn ddinerth,
Yn anfeidrol fywiol Dduw.

Ann Griffiths

Arglwydd Iesu Grist,
estyn dy ddwylo clwyfedig
i fendithio, iacháu ac adfer dy bobl,
a'u tynnu atat dy hun
ac at ei gilydd mewn cariad. Amen.

Duw Gwyleidd-dra

"Pwy bynnag sydd am fod yn fawr
yn eich plith,
rhaid iddo fod yn was i chwi,
a phwy bynnag sydd am fod yn flaenaf
yn eich plith, rhaid iddo fod yn gaethwas i bawb.
Oherwydd Mab y Dyn, yntau, ni ddaeth i gael ei
wasanaethu ond i wasanaethu,
ac i roi ei einioes yn bridwerth dros lawer."
Marc 10: 43-45

"Darostyngir pob un sy'n ei ddyrchafu ei hun,
a dyrchefir pob un sy'n ei ddarostwng ei hun."
Luc 18: 14

★

Y mae cyfrinach gwir fawredd i'w ganfod, nid mewn grym a golud bydol, nid mewn amlygrwydd a chlod, ond mewn gwyleidd-dra, gostyngeiddrwydd a pharodrwydd i weini ar eraill.

Yng ngoleuni dysgeidiaeth ac esiampl Iesu, meddyliwch pa newidiadau sydd eu hangen yn eich agwedd ac yn ansawdd eich bywyd chi...
Gofynnwch i Dduw eich helpu i ddysgu gwyleidd-dra Iesu...

★

Arglwydd Iesu, daethost i'n plith
nid i dra-arglwyddiaethu ond i wasanaethu;
nid i ormesu ond i garu;
nid i orfodi ond i gymell.
Yr wyt yn ein cymell ninnau
i gerdded llwybr dy ostyngeiddrwydd;
i geisio dy ewyllys di, nid ein hewyllys ni;
i fyw i eraill, nid i ni ein hunain;
i ganfod y nerth sydd mewn gwendid
a'r grym sydd mewn gwyleidd-dra.
Cymorth ni i ymateb i ti. Amen.

Duw Llawenydd

"Bydded y nefoedd yn llawen
a gorfoledded y ddaear;
rhued y môr
a'r cyfan sydd ynddo,
llawenyched y maes
a phopeth sydd ynddo.
Yna bydd holl brennau'r
goedwig yn canu'n llawen
o flaen yr Arglwydd,
oherwydd y mae'n dod,
oherwydd y mae'n dod
i farnu'r ddaear."
Salm 96: 11-13

"Mewn llawenydd yr ewch
allan, ac mewn heddwch
y'ch arweinir;
bydd y mynyddoedd
a'r bryniau'n
bloeddio canu o'ch blaen,
a holl goed y maes
yn curo dwylo."
Eseia 55: 12

"Llawenhewch yn yr Arglwydd
bob amser; fe'i dywedaf eto,
llawenhewch.
Bydded eich hynawsedd
yn hysbys i bob dyn.
Y mae'r Arglwydd yn agos."
Philipiaid 4: 4-5

★

Dywed y Beibl fod y ddaear, y môr, y bryniau a'r coed, yn ymuno mewn cytgan o lawenydd am fod Duw ynghanol ei fyd a'i bresenoldeb yn hydreiddio'r greadigaeth.

Yn yr un modd, y mae llawenydd y Cristion yn deillio o'i argyhoeddiad fod Duw wedi dod atom yn Iesu Grist, a'i fod yn parhau ymysg ei bobl.

Ymdawelwch a chofiwch fod Duw yn agos atoch yn awr...

Gweddïwch am ei gymorth i roi heibio pob dicter, rhagfarn ac atgasedd sydd ynoch er mwyn i lawenydd Duw eich llenwi a llifo trwyddoch...

★

Diolch i ti, Arglwydd,
am i ni gael mwynhau dy gwmni
ac ymhyfrydu yn dy gariad.
Diolch i ti am lawenydd
nad yw'n ddibynnol
ar amgylchiadau, na phleserau, na theimladau,
ond sy'n ffrydio o'th fywyd di ynom,
yn ein mysg ac o'n hamgylch.
Yn niddanwch dy lawenydd,
gweddïwn dros bawb sy'n drist:
y rhai sydd mewn galar a hiraeth
o golli rhywun annwyl;
y rhai sydd wedi eu digalonni
gan siom a methiant;
y rhai sydd dan straen
yn eu gwaith neu yn eu perthynas ag eraill.

Rho iddynt hwy ac i ninnau
wefr dy lawenydd yn Iesu Grist. Amen.

Duw Rhyddid

"Fel hyn y dywed yr Arglwydd,
Duw Israel:
'Gollwng fy mhobl yn rhydd'."
Exodus 5: 1

"Y mae ysbryd yr Arglwydd
Dduw arnaf, oherwydd i'r
Arglwydd fy eneinio...
i gyhoeddi rhyddid i'r caethion,
a rhoi gollyngdod i'r
carcharorion."
Eseia 61: 1

"'Cewch wybod y gwirionedd,
a bydd y gwirionedd
yn eich rhyddhau.'
Felly os yw'r mab yn eich
rhyddhau chwi,
byddwch yn rhydd mewn
gwirionedd."
Ioan 8: 32,36

Ystyr gwreiddiol iachawdwriaeth yn y Beibl yw rhyddhad – rhyddhad oddi wrth gaethiwed, tlodi, gormes a phechod.

Yn Iesu Grist y mae Duw yn ein rhyddhau oddi wrth bopeth sy'n llesteirio a chaethiwo.

Ystyriwch yn fyfyrgar pa bethau sy'n eich rhwystro rhag byw o fewn rhyddid perffaith Duw a gweddïwch am ei gymorth i'w goresgyn...

Meddyliwch am y mannau hynny yn y byd lle mae pobl yn gaeth ac yn dioddef gormes o unrhyw fath a cheisiwch sefyll gyda hwy yn eu poen gerbron Duw...

Arglwydd,
sychedwn am y rhyddid perffaith
sy'n eiddo i ni yn Iesu Grist,
i orchfygu caethiwed ein balchder,
i ddileu ein hofnau a'n hamheuon
ac i adfer ein gobaith.

Gweddïwn dros y rhai
sydd wedi eu cornelu gan afiechyd,
llesgedd, iselder ysbryd
a thristwch:
Arglwydd, rhyddha hwy.

Gweddïwn dros y rhai
sy'n ysglyfaeth i gyffuriau,
i chwantau peryglus
ac i arferion hunan-ddinistriol:
Arglwydd, rhyddha hwy.

Gweddïwn dros y rhai
sy'n gaeth i ormes, tlodi a newyn,
yn dioddef oherwydd creulondeb
a thrachwant eraill:
Arglwydd, rhyddha hwy.

Gweddïwn dros y rhai
sydd wedi eu carcharu
am eu safiad dros gyfiawnder
neu am eu tystiolaeth grefyddol:
Arglwydd, rhyddha hwy.

Arglwydd, gad i ni rannu
yn llawenydd y rhai a ryddhawyd
o boen, anghyfiawnder a thlodi,
a dathlu'n ddiolchgar
ymdrech ac aberth y rhai
fu'n brwydro dros hawliau dynol
a thros waith dy deyrnas yn y byd.
Amen.

Duw Gobaith

"Gwyn ei fyd y dyn y mae ei obaith yn yr Arglwydd ei Dduw,
Creawdwr nefoedd a daear a'r môr
a'r cyfan sydd ynddynt."
Salm 146: 5-6

"Bendigedig fyddo Duw a Thad ein Harglwydd Iesu Grist!
O'i fawr drugaredd, fe barodd ef
ein geni ni o'r newydd i obaith bywiol
trwy atgyfodiad Iesu Grist oddi wrth y meirw."
1 Pedr 1: 3

Nid dymuniad gwag a di-sail yw gobaith yn y Beibl, ond ymddiriedaeth hyderus yn Nuw ac yn ei addewidion.

Meddyliwch yn weddïgar am y pethau hynny sy'n achosi i chi ddigalonni a thristáu a gofynnwch i Dduw eich helpu i'w goresgyn ac i ganfod gobaith yr Efengyl...

Yn ein gweddi rhown ddiolch i Dduw am ei gariad tuag atom yn Iesu Grist ac am obaith i gredu yn llwyddiant ei deyrnas yn y byd...*(distawrwydd)*
Arglwydd, ti yw ein gobaith a'n grym.

Gweddïwn am ras i ymddiried yn llwyrach yng nghariad a gofal Duw ac i gyflwyno iddo ein pryderon a'n hanghenion...*(distawrwydd)*
Arglwydd, ti yw ein gobaith a'n grym.

Cyflwynwn i Dduw ein gobeithion am ei eglwys ac am waith a thystiolaeth ein cynulleidfaoedd...*(distawrwydd)*
Arglwydd, ti yw ein gobaith a'n grym.

Ymbiliwn dros bawb sydd heb obaith; y rhai sydd yn ddi-waith, yn wrthodedig, yn dioddef cynni, ac wedi eu hymylu gan gymdeithas...*(distawrwydd)*
Arglwydd, ti yw ein gobaith a'n grym;
ynot ti yr ymddiriedwn. Amen.

Duw y Diffeithwch

*"Cofiwch yr holl ffordd
yr arweiniodd yr Arglwydd eich Duw chwi
yn ystod y deugain mlynedd hyn
yn yr anialwch."*
Deuteronomium 8: 2

*"Paratowch yn yr anialwch ffordd yr Arglwydd,
unionwch yn y diffeithwch briffordd i'n Duw ni."*
Eseia 40: 3

I bobl y Beibl yr oedd y diffeithwch, er gwaethaf ei
lymder a'i galedi, yn gysylltiedig â'r profiadau dyfnaf o
bresenoldeb Duw a'i ymwneud â'i bobl. Trwy'r anialwch yr
arweiniwyd hwy o gaethiwed ac yn unigedd a moelni'r
anialwch y meithrinwyd eu ffydd a'u bywyd ysbrydol.

Meddyliwch pa rai o'ch profiadau chi sy'n brofiadau o'r
diffeithwch. Gofynnwch i Dduw eich helpu i fynd trwy eu
poen a'u llymder ac i'w ganfod ef ynddynt...

Pan fyddwn yn niffeithwch ein hamheuon
ac yn baglu yn ein hofnau a'n hansicrwydd:
Arglwydd, tyrd i'n hargyhoeddi.

Pan fyddwn yn niffeithwch ein hunigrwydd,
heb neb yn gwmni i ni a neb i rannu'n
gofidiau â hwy:
Arglwydd, tyrd i'n cysuro.

Pan fyddwn yn niffeithwch ein hanobaith,
ein methiant yn ein llethu a'r dyfodol yn dywyll:
Arglwydd, tyrd i'n harwain.

Pan fyddwn yn niffeithwch ein tlodi ysbrydol,
wedi colli gafael arnat ac yn methu â gweddïo:
Arglwydd, tyrd i'n bendithio. Amen.

Duw y Deyrnas

*"Gofynnwyd iddo gan y Phariseaid
pryd y deuai teyrnas Dduw.
Atebodd Iesu, 'Nid rhywbeth i wylio
amdano yw dyfodiad teyrnas Dduw.
Ni bydd dynion yn dweud, 'Dyma hi',
neu 'Dacw hi'; edrychwch, y mae
teyrnas Dduw yn eich plith chwi.'
Ac meddai wrth ei ddisgyblion
'Daw dyddiau pan fyddwch yn dyheu am
gael gweld
un o ddyddiau Mab y Dyn, ac ni
welwch mohono.
Dywedant wrthych, 'Dacw ef', neu
'Dyma ef'; peidiwch â mynd,
peidiwch â rhedeg ar eu hôl.
Oherwydd fel y fellten sy'n fflachio
o'r naill gwr o'r nef hyd y llall,
felly y bydd Mab y Dyn
yn ei ddydd ef.'"*
Luc 17: 20-24

★

Nid lle na thiriogaeth yw teyrnas Dduw,
ond yn hytrach ei deyrnasiad ef yng
nghalonnau ei bobl, yn dwyn eu
gweithredoedd, eu meddyliau, eu geiriau,
eu cymhellion a'u teimladau, o dan reolaeth
ei gariad.

Mewn distawrwydd addolgar gofynnwch
i Dduw deyrnasu dros bob rhan o'ch bywyd,
yn enwedig y rhannau hynny sy'n amharod i
blygu i'w arglwyddiaeth...

Iesu,
Athro ac Arweinydd,
rho i ni glustiau i glywed,
llygaid i weld
a meddyliau i ddeall
agosrwydd a realrwydd dy deyrnas
ynom ac yn ein plith.

Achub ni rhag y diffyg ffydd
sy'n ystyried fod gofynion dy deyrnas
y tu hwnt i'n cyrraedd.
Achub ni rhag yr ofn
sy'n ein rhwystro rhag ymddiried
yng ngrym dy addewidion.
Achub ni rhag y dallineb
sy'n methu gwahaniaethu
rhwng y drwg a'r da.
Achub ni rhag yr hunanoldeb
sy'n rhoi ein lles
a'n hapusrwydd ein hunain
o flaen deddfau'r deyrnas
ac anghenion eraill.

Tyrd atom
i deyrnasu yn ein mysg:
yn ein cartrefi,
yn ein heglwysi,
yn ein gwlad.
A phan ddaw y dydd
na fydd ynom gasineb at neb,
nac awydd i flaenori ar neb,
nac eiddigedd o lwyddiant neb,
ond cariad a gofal am eraill
ac ufudd-dod i'th ewyllys di –
yna, bydd dy deyrnas
yn ein mysg yn wir,
ar y ddaear fel yn y nef.
Amen.

Duw Diddanwch

"Bendigedig fyddo Duw a Thad
ein Harglwydd Iesu Grist,
y Tad sy'n trugarhau
a'r Duw sy'n rhoi pob diddanwch.
Y mae'n ein diddanu ni ym mhob gorthrymder,
er mwyn i ninnau,
trwy'r diddanwch a gawn ganddo ef,
allu diddanu'r rhai sydd dan
bob math o orthrymder."
2 Corinthiaid 1: 3-4

O ganfod Duw ei hun, rhodio yn ei gwmni, ymddiried yn ei ofal, a rhannu yn ei fywyd yn Iesu Grist, y mae canfod ei ddiddanwch. Nid dihangfa oddi wrth brofiadau anodd bywyd yw'r diddanwch hwn, ond cael Duw yn gydymaith ac yn gymorth i ni mewn gwynfyd a gwae.

Meddyliwch yn weddïgar dros y geiriau hyn ac ystyriwch eu neges i'ch bywyd chi...

"Ni ddichon enaid feddiannu cysur heb feddiannu Duw, ond ni ddichon neb feddiannu Duw heb feddiannu cysur."

Rhys Prydderch

Dad, llawn diddanwch,
yr wyt yn ymgeleddu ac yn nerthu
pawb sydd mewn angen
a phawb sy'n disgwyl wrthyt:
edrych arnom yn ein gofidiau,
dysg ni i ymddiried ynot,
a gad i ni brofi'n helaeth
o ddiddanwch dy gwmni
a'th gariad.
Amen.

Duw Cariad

"O Dduw y mae cariad,
ac y mae pob un sy'n caru wedi ei eni o Dduw
ac yn adnabod Duw.
Yr hwn nad yw'n caru, nid yw'n adnabod Duw,
oherwydd cariad yw Duw.
Yn hyn y dangoswyd cariad Duw tuag atom:
bod Duw wedi anfon ei unig Fab i'r byd
er mwyn i ni gael byw drwyddo ef."
I Ioan 4: 7-9

★

Gan mai cariad yw hanfod Duw,
cariad yw ffynhonnell ein bywyd ninnau.

O ddyfnhau ein perthynas â Duw yr ydym yn
treiddio'n ddyfnach i'w gariad ac i gyfrinach ddyfnaf
ein bodolaeth ein hunain. Y mae cariad Duw yn
tywynnu ar ein heneidiau, yn ennyn ynom ymateb o
gariad tuag ato a thuag at ein cyd-ddynion.

Meddyliwch yn weddïgar dros y geiriau hyn gan
Dostoyevsky:

"Fe ddysg cariad bopeth i ni...
Carwch ddyn, hyd yn oed yn ei bechod.
Carwch holl greadigaeth Duw, y cyfan,
a phob gronyn o dywod ynddo.
Carwch bob deilen, bob pelydryn o oleuni.
Carwch yr anifeiliaid,
carwch y planhigion,
carwch bob peth ar ei ben ei hun.
Os carwch bob peth,
fe gewch ddirnad dirgelwch Duw
ym mhob peth."

★

Arglwydd,
y mae dy gariad yn ein cynhyrfu
ac yn ein cywilyddio.
Y mae'n datgelu tlodi ein cariad ni.
Y mae dy dosturi yn dangos
pa mor arwynebol a hunanol
yw ein tosturi ni.
Dduw cariad, trugarha wrthym.

Daethost atom yn Iesu Grist
i fynegi i ni dy gariad
ac i'n dysgu mai calon y greadigaeth
yw cariad costus, aberthol,
sy'n dioddef i'r eithaf,
yn gobeithio i'r eithaf,
yn dal ati i'r eithaf,
er mwyn ein hachub ni
o farwolaeth i fywyd.
Dduw cariad, diolchwn i ti.

Planna a meithrin dy gariad
yn ein calonnau ni.
Rho i ni wroldeb
i fyw yn ôl ei ofynion –
i geisio hawliau eraill
o flaen ein hawliau'n hunain;
i ymgyrchu dros y gwan a'r tlawd;
i rannu'n bywyd â'r newynog,
i roi o'n heiddo i'r tlawd,
i roi ein hamser a'n sylw
i'r unig a'r gwrthodedig.
Dduw cariad, gwrando ni.

**Cyflawna dy wyrth yn ein calonnau,
a gwna ni'n gyfryngau
dy deyrnas o gariad,
er mwyn Iesu Grist. Amen.**

Duw Tragwyddoldeb

"Cyn geni'r mynyddoedd,
a chyn esgor ar y ddaear a'r byd,
o dragwyddoldeb hyd dragwyddoldeb,
ti sydd Dduw."
Salm 90: 2

" 'Myfi yw Alffa ac Omega,'
medd yr Arglwydd Dduw,
yr hwn sydd a'r hwn oedd
a'r hwn sydd i ddod,
yr Hollalluog."
Datguddiad 1: 8

Pan fyddwn yn addoli Duw neu yn gweddïo arno, byddwn yn sefyll, nid o fewn terfynau amser yn unig, ond o fewn tragwyddoldeb.

Cofiwch eich bod, wrth weddïo'n awr, yn cyffwrdd ag ymylon tragwyddoldeb. Gofynnwch i Ysbryd Duw eich helpu i ymdawelu ac i dreiddio'n ddyfnach i ryfeddod y tragwyddol...

Diolchwn, Arglwydd,
am i ti roi i'n bywyd
orwelion tragwyddol.
Cod ni uwchlaw ffiniau amser
a chyfyngiadau'r materol
i rannu yn dy fywyd anfeidrol,
a chyda holl gwmpeini'r nef
sy'n trigo gyda thi
yng ngogoniant dy deyrnas nefol,
molwn a chlodforwn di,
Dduw tragwyddoldeb. **Amen.**

Duw yn Cynnal

"Ystyriwch lili'r maes,
pa fodd y maent yn tyfu;
nid ydynt yn llafurio
nac yn nyddu.
Ond 'rwy'n dweud wrthych,
nid oedd gan hyd yn oed
Solomon yn ei holl ogoniant
wisg i'w chymharu
ag un o'r rhain.
Os yw Duw yn dilladu felly
laswellt y maes,
sydd yno heddiw,
ac yfory yn cael ei
daflu i'r ffwrn,
onid llawer mwy y dillada chwi,
chwi o ychydig ffydd?"
Mathew 6: 28-30

O wybod bod Duw yn cynnal
ei greadigaeth ac yn gofalu
am adar yr awyr a
blodau'r maes, gallwn
ollwng ein holl ofalon
a'n pryderon arno ef
ac ymddiried ein hunain i'w ofal.

Cofiwch fod cariad Duw
yn lapio amdanoch,
a'i fod yn gwybod eich
holl anghenion...
Meddyliwch am y pethau
sy'n achosi pryder i chi
a rhannwch hwy â Duw...

Dduw, ein cynhaliwr
a rhoddwr pob bendith:
am i ni weld ôl
dy gariad a'th ofal
ym mhethau syml bywyd –
yn lliwiau'r blodau,
yng nghân yr aderyn,
yng ngwres yr haul
ac yn ffresni'r glaw:
Arglwydd, diolchwn i ti.

Am dy holl ddoniau i ni:
am fywyd a'i fendithion
o iechyd ac egni;
am gyfoeth y ddaear
a bwyd i'n cadw'n fyw;
am gyfeillgarwch,
am gwmni anwyliaid
ac am bob cyfle
i wneud daioni:
Arglwydd, diolchwn i ti.

Am y goleuni a'r gras
a ddaeth i ni yn Iesu;
am efengyl dy gariad,
am faddeuant pechodau,
am gymod â thi,
am ddoniau dy Ysbryd,
am gymdeithas dy bobl,
am foddion gras
ac am obaith gogoniant:
Arglwydd, diolchwn i ti.

**Am dy fod yn cynnal
a chyfoethogi ein bywyd,
cadw ni rhag pob pryder,
a gwna ni'n wastad
yn ddiolchgar. Amen.**

Duw Gogoniant

"O Arglwydd, ein Iôr,
mor ardderchog yw dy enw
ar yr holl ddaear!
Gosodaist dy ogoniant uwch y
nefoedd...
Pan edrychaf ar y nefoedd,
gwaith dy fysedd,
y lloer a'r sêr, a roddaist yn eu lle,
beth yw dyn, iti ei gofio,
a'r teulu dynol, iti ofalu amdano?"
Salm 8: 1, 3

"Daeth y Gair yn gnawd
a phreswylio yn ein plith,
yn llawn gras a gwirionedd;
gwelsom ei ogoniant ef,
ei ogoniant fel unig Fab
yn dod oddi wrth y Tad."
Ioan 1: 14

Gwelwn ogoniant Duw yn ysblander ei greadigaeth: yn ehangderau'r gofod ac yng nghywreinrwydd y celloedd lleiaf.

Ond yn Iesu Grist gwelwn y gogoniant dwyfol wedi ei ymgorffori mewn person – y sanctaidd a'r dyrchafedig wedi dod i'n plith, er mwyn i ni gael cyfranogi o'i ogoniant ef.

Adroddwch yn araf ac addolgar:
"Sanct, Sanct, Sanct,
Arglwydd Dduw y lluoedd:
nef a daear sydd lawn o'th ogoniant;
Gogoniant a fo i ti,
O Arglwydd goruchaf."

Arglwydd Dduw,
sanctaidd, ardderchog
a dyrchafedig,
y tu hwnt i'n deall ni;
diolchwn i ti am blygu atom
a dangos i ni dy ogoniant
yn wyneb Iesu Grist.

Molwn di am bopeth
sy'n adlewyrchu dy ogoniant
ac yn dweud amdanat:
am oleuni,
am liwiau, ffurfiau
ac amrywiaeth dy gread;
am brofiadau gwerthfawr,
am eiriau cofiadwy
ac am bobl dda.

Maddau i ni
am golli golwg arnat
a rhodio yn nhywyllwch
ein hofnau,
ein hanobaith
a'n hunanoldeb.
Gad i lewyrch dy ogoniant
dywynnu arnom
a'n tywys yn ôl atat ti.

**Cymorth ni i estyn dy
ogoniant yn y byd,
i dywys pobl ym mhob man
i ganfod dy gariad
ac i fyw yn dy hedd.
Amen.**

Duw Tangnefedd

"Bydded imi glywed yr hyn a lefara'r
Arglwydd Dduw, oherwydd bydd yn
cyhoeddi heddwch i'w bobl
ac i'w ffyddloniaid,
ac i'r rhai uniawn o galon.
Bydd teyrngarwch a ffyddlondeb yn cyfarfod
a chyfiawnder a heddwch yn cusanu
ei gilydd."
Salm 85: 8, 10

"Yr wyt yn cadw mewn heddwch perffaith
y sawl sydd â'i feddylfryd arnat
am ei fod yn ymddiried ynot."
Eseia 26: 3

"Yr wyf yn gadael i chwi dangnefedd;
yr wyf yn rhoi i chwi fy nhangnefedd i fy hun.
Peidiwch â gadael i ddim gynhyrfu'ch calon
a pheidiwch ag ofni."
Ioan 14: 27

★

Rhodd yw tangnefedd – *shalôm* – sef Duw yn
cynnig i ni berthynas o gymod ag ef ei hun a'r
berthynas honno yn ein dwyn i gymod â'n cyd-
ddynion, â'n hamgylchiadau, â'r greadigaeth àc â ni
ein hunain.

Mewn distawrwydd meddyliwch dros eiriau Iesu,
"Yr wyf yn rhoi i chwi fy nhangnefedd fy hun"...
Gadewch i'r distawrwydd o'ch cwmpas droi yn
dangnefedd o'ch mewn...

★

Diolchwn i ti, Arglwydd,
am gael bod yn dy bresenoldeb
ac am yr hyfryd hedd
sydd yn dy gwmni.
Gad i'th dangnefedd
lonyddu'n cyrff,
dawelu'n meddyliau,
orlifo'n heneidiau,
a llenwi'r lle hwn.

Gweddïwn dros bawb sydd
mewn angen, mewn adfyd
ac mewn amgylchiadau cythryblus.
I bawb sy'n llawn dicter,
eiddigedd a chwerwedd:
Arglwydd, rho dangnefedd.

I bawb sydd dan straen
gofid a phwysau gwaith:
Arglwydd, rho dangnefedd.

I bawb sy'n dwyn baich
euogrwydd a chywilydd:
Arglwydd, rho dangnefedd.

I bawb sy'n unig, yn drist
ac yn wrthodedig:
Arglwydd, rho dangnefedd.

I bawb sydd mewn sefyllfa
o ryfel a therfysg ac yn byw mewn ofn:
Arglwydd, rho dangnefedd.

**Meddianna ni,
llifa drwom
a defnyddia ni
yn gyfryngau dy dangnefedd
yn y byd. Amen.**

Duw yn Llefaru

"Y mae llais yr Arglwydd
uwch y dyfroedd;
Duw'r gogoniant sy'n taranu,
yr Arglwydd uwch dyfroedd cryfion!
Y mae llais yr Arglwydd yn nerthol,
y mae llais yr Arglwydd yn ogoneddus."
Salm 29: 3-4

"Mewn llawer dull a llawer modd
y llefarodd Duw gynt wrth y tadau
yn y proffwydi,
ond yn y dyddiau olaf hyn
llefarodd wrthym ni mewn Mab."
Hebreaid 1: 1

★

Y mae'r sawl sy'n ymwybodol o realrwydd ac
agosrwydd Duw yn ymwybodol hefyd o glywed ei lais
yn llefaru trwy wahanol gyfryngau – trwy ei gread,
trwy'r Beibl, trwy weddi a distawrwydd, trwy brofiadau
bywyd, ac yn bennaf oll trwy Iesu Grist.

Cofiwch fod Duw yn agos iawn atoch, ymdawelwch
yn ei gwmni, ac wrth i'r distawrwydd ddwysáu,
gwrandewch ar lais y tawelwch...

'...F'enaid gwrando
Lais tangnefedd pur a hedd.'
Williams, Pantycelyn

★

Rho i ni, Arglwydd,
glustiau i glywed
a chalonnau i wrando
dy lais di uwchlaw lleisiau'r byd.

Cymorth ni i'th glywed yn llefaru
trwy leisiau dy greadigaeth:
trwy furmur yr afon,
sibrwd yr awel
a chân yr aderyn.

Cymorth ni i'th glywed yn llefaru
trwy ddigwyddiadau beunyddiol bywyd:
trwy enau'n cyd-ddynion,
trwy seiniau cerddoriaeth
a thrwy bob profiad llawen.

Cymorth ni i'th glywed yn llefaru
trwy wirioneddau dy Air:
yng ngeiriau'r Beibl,
ym mhregethiad yr Efengyl
ac ym mywydau dy saint.

Cymorth ni i'th glywed yn llefaru
ym mywyd a pherson dy Fab Iesu Grist:
yn ei ddysgeidiaeth bur,
yn ei weithredoedd nerthol
ac yng ngrym ei angau a'i atgyfodiad.

**Cymorth ni i'th glywed yn llefaru
yn nistawrwydd yr eiliadau hyn.
Dysg ni i ddisgwyl wrthyt,
i wrando arnat,
i dderbyn dy Air yn llawen
ac i ymateb yn ufudd ac yn eiddgar
i'th alwadau arnom. Amen.**

Duw Cadernid

*"Codaf fy llygaid
tua'r mynyddoedd;
o ble y daw cymorth i mi?
Daw fy nghymorth
oddi wrth yr Arglwydd,
creawdwr nefoedd a daear."*
Salm 121: 1-2

I'r Salmydd yr oedd mawredd a chadernid y mynyddoedd yn cynrychioli cadernid digyfnewid cariad Duw. Y mae Duw yn noddfa sicr i'w bobl; yn eu cysgodi, yn eu cadw rhag llithro ac yn eu hamddiffyn rhag pob drwg.

Yng ngofal Duw yr ydych yn gwbl ddiogel; ymlaciwch yn ei gwmni; gollyngwch bob straen a thensiwn, a theimlwch ei nerth yn eich cofleidio a'ch llenwi...

Arglwydd, ein craig a'n noddfa,
at dy gadernid di
y cyfeiriwn ein hanghenion
a'n hymbiliau:
yn ein gwendidau,
rho i ni dy nerth;
yn ein gofidiau,
rho i ni dy dangnefedd;
yn ein dryswch,
rho i ni dy arweiniad;
yn ein hunigrwydd a'n hofn,
rho i ni dy gwmni.
O ble arall y daw cymorth i ni?
Amen.

Duw yn Gysgod

"Y mae'r sawl sy'n byw yn lloches y Goruchaf,
ac yn aros yng nghysgod yr Hollalluog,
yn dweud wrth yr Arglwydd,
'Fy noddfa a'm caer,
fy Nuw, yr un yr ymddiriedaf ynddo.'"
Salm 91: 1-2

"Buost yn noddfa i'r tlawd,
yn noddfa i'r anghenus yn ei gyfyngder,
yn lloches rhag y storm
ac yn gysgod rhag y gwres."
Eseia 25: 4

★

Y mae'r sawl sydd dan gysgod gofal Duw yn gwbl ddiogel mewn
bywyd ac angau. Nid oes unrhyw adfyd nac argyfwng a fedr ei gipio
o afael ei gariad na'i wahanu o gylch ei ofal.

Rhestrwch yn eich meddwl y pethau sy'n peri gofid a phryder i
chi; meddyliwch am gysgod amddiffynnol Duw drosoch, a
gollyngwch eich hun i'w ofal...

★

O gofio, Arglwydd, dy fod yn cysgodi
dy blant yn dy gariad, cyflwynwn i ti
y rhai ym mhob rhan o'r byd
sydd mewn perygl oherwydd rhyfel a therfysg;
y rhai sy'n dlawd ac yn brin o fwyd;
y rhai sy'n anabl ac o dan anfantais;
y rhai sy'n hen, yn unig ac yn ofnus;
plant bach sy'n cael eu camdrin;
pobl ifanc sydd wedi gadael cartref.
Estyn dy ofal drostynt
a chadw hwy yn ddiogel yn dy gariad. Amen.

Duw y Greadigaeth

Y mae datgan bod Duw yn Greawdwr yn cyfeirio nid yn unig at ei waith yn y dechreuad yn dwyn y byd a'r bydysawd i fod, ond hefyd at ei waith yn y presennol.

Y mae creu ac ail-greu bywyd yn ei holl ffurfiau a'i wahanol rywiogaethau yn weithgarwch parhaus. Am mai Duw creadigol, gweithgar ydyw, y mae'n cyson arwain, achub ac adfer ei fyd.

Yn dawel ac ystyriol sylwch ar bob arwydd o fywyd o'ch cwmpas a cheisiwch ymdeimlo â gweithgaredd creadigol Duw ynoch ac o'ch amgylch...

Dduw ein Creawdwr,
diolchwn i ti am ddwyn trefn o anhrefn,
a goleuni o dywyllwch,
ac am i ti ein gwneud ninnau
ar dy lun a'th ddelw dy hun
a gwneud byd llawn cyfoeth
ac amrywiaeth ar ein cyfer.

Gwna ni yn stiwardiaid cyfrifol
o'th holl roddion
ac yn gydweithwyr â thi
yn dy deyrnas. Amen.

Duw Sancteiddrwydd

*"Ymgrymwch i'r Arglwydd
yn ysblander ei sancteiddrwydd.
Crynwch o'i flaen yr holl ddaear."*
1 Cronicl 16: 29-30

*"Yn ôl patrwm yr Un Sanctaidd
a'ch galwodd chwi,
byddwch chwithau yn sanctaidd
yn eich holl ymarweddiad.
Oherwydd y mae'n ysgrifenedig,
'Byddwch sanctaidd
oherwydd yr wyf fi yn sanctaidd.'"*
1 Pedr 1: 15-16

Y mae sancteiddrwydd Duw yn gyfuniad o'i
ddaioni perffaith a'i brydferthwch digymar, a
hynny'n ei wneud yn uwch ac yn gwbl ar wahân i ni.
Ond er creu ynom ymdeimlad o arswyd a pharchedig
ofn, nid ein dychryn a'n pellhau a wna
sancteiddrwydd Duw, ond ein denu, ein hennill a'n
gwahodd i gyfranogi ohono.

Meddyliwch am ddyfnder a dwyster
sancteiddrwydd Duw a gweddïwch:
*"O! sancteiddia f'enaid, Arglwydd,
Ym mhob nwyd ac ym mhob dawn..."*

**Arglwydd tragwyddol,
sancteiddia ein cyrff a'n heneidiau,
ein meddyliau a'n bwriadau,
ein geiriau a'n gweithredoedd,
fel y bo popeth a feddyliwn,
a ddywedwn ac a wnawn,
er gogoniant i'th enw
ac er llwyddiant dy deyrnas. Amen.**

Duw Atgyfodiad

"Dywedodd Iesu wrthi,
'Myfi yw'r atgyfodiad a'r bywyd.
Pwy bynnag sy'n credu ynof fi,
er iddo farw, fe fydd byw;
a phob un sy'n byw ac yn credu ynof fi,
ni bydd marw byth.'"
Ioan 11: 25

"Y gwir yw fod Crist wedi ei gyfodi
oddi wrth y meirw, yn flaenffrwyth
y rhai sydd wedi huno. Gan mai
trwy ddyn y daeth marwolaeth, trwy
ddyn hefyd y daeth atgyfodiad
y meirw."
1 Corinthiaid 15: 20-21

★

Y mae atgyfodiad Iesu Grist yn
ddigwyddiad yn y gorffennol, yn obaith i'r
dyfodol ac yn brofiad yn y presennol.

Oherwydd i Grist gyfodi ar y Trydydd
Dydd, bydd pawb sy'n credu ynddo yn
rhannu yn ei atgyfodiad y tu draw i'r bedd.

Ond y mae i'r atgyfodiad arwyddocâd
cyfoes hefyd. Y mae Iesu yn fyw yn awr ac
yn abl i'n codi o afael ein pechodau, ein
hamheuon, ein gofidiau, a phopeth sy'n ein
llethu a'n llesteirio.

Meddyliwch am y Crist byw wrth eich
ymyl yn awr; yn eich dychymyg edrychwch
arno a dywedwch, fel Thomas gynt,
"Fy Arglwydd a'm Duw..."

★

Arglwydd croeshoeliedig, atgyfodedig,
argyhoedda ni dy fod yn fyw
a llanw ni â gwefr a gobaith dy fuddugoliaeth.

Gweddïwn dros dy eglwys.
Achub ni oddi wrth ein caethiwed i'r gorffennol,
a'n hymlyniad i draddodiadau marw
ac i ffurfiau a phatrymau oes a fu.
Bywha dy bobl â grym dy atgyfodiad.

Gweddïwn drosom ein hunain.
Gwared ni oddi wrth yr anobaith
sy'n ein cyflyru i ddisgwyl dim
ond dirywiad a thrai;
y digalondid sy'n methu gweld
arwyddion bywyd a thyfiant,
a'r difaterwch sy'n ein hatal
rhag ymroi i waith dy deyrnas.
Bywha dy bobl â grym dy atgyfodiad.

Gweddïwn dros y rhai sydd mewn
afiechyd ac angen:
y rhai y gwyddom ni amdanynt
sydd mewn gwaeledd, llesgedd a phoen...
y rhai sydd mewn galar a phrofedigaeth;
y rhai sy'n unig, yn isel eu hysbryd
ac wedi colli blas ar fyw.
Bywha dy bobl â grym dy atgyfodiad.

Gweddïwn dros ein byd:
dros bawb sy'n wynebu dioddefaint
ac angau
oherwydd rhyfel, newyn neu erledigaeth;
dros genhedloedd a hiliau sy'n dioddef
oherwydd gormes y cryf a'r arfog;
dros y gwan a'r tlawd
sydd heb neb i godi llais drostynt.
Bywha dy bobl â grym dy atgyfodiad. Amen.

Duw Prydferthwch

"Bydded prydferthwch yr Arglwydd
ein Duw arnom ni:
llwydda waith ein dwylo inni,
llwydda waith ein dwylo."
Salm 90: 17

"Byddaf fel gwlith i Israel;
blodeua fel lili
a lleda'i wraidd fel pren poplys.
Lleda'i flagur
a bydd ei brydferthwch
fel yr olewydden,
a'i arogl fel Lebanon."
Hosea 14: 5 - 6

Nid cyfiawnder deddfol, oer, yw daioni
Duw, ond cariad, ac y mae gwir gariad yn
brydferth a deniadol.
Wrth i ni dyfu yng nghariad Duw
rhannwn hefyd yn ei brydferthwch.

"Fel y bydd cariad Duw yn cynyddu
ynot, y bydd dy brydferthwch yn cynyddu,
oherwydd cariad yw prydferthwch yr
enaid."

Awstin Sant

Maddau i ni, Arglwydd,
am anghofio dy ddelw di arnom.
Ail-lunia ni;
anadla fywyd newydd ynom,
a gwisg ni â'th brydferthwch,
fel yr adlewyrchwn
dy ogoniant yn y byd. Amen.

Duw Adnewyddiad

"Yr Arglwydd yw fy mugail,
ni bydd eisiau arnaf.
Gwna imi orwedd
mewn porfeydd breision,
a thywys fi
gerllaw dyfroedd tawel,
ac y mae ef
yn fy adfywio."
Salm 23: 1-2

"Pwy bynnag sy'n yfed
o'r dŵr a roddaf fi iddo,
ni bydd arno syched
byth."
Ioan 4: 14

★

Y mae Duw yn addo adnewyddu a disychedu'r enaid blinedig sy'n troi ato.

O gofio fod Duw yn agos iawn atoch, gadewch i'ch corff orffwys, i'ch meddwl ymlacio ac i'ch enaid lonyddu yn rhin a hedd ei gariad...

★

Arglwydd bywyd,
ti yn unig
sy'n diwallu
ein hanghenion dyfnaf.
Â dyfroedd tawel
dy ras yn unig
y cawn ein disychedu.
Yn dy Ysbryd di
yn unig y cawn
ein hadnewyddu.
Cadw ni yn agos atat,
ac adnewydda
ein ffydd,
ein cariad
a'n bywyd ysbrydol.

Gweddïwn dros bawb
sy'n llesg a blinedig:
rhai mewn afiechyd;
rhai mewn iselder ysbryd;
rhai mewn ofn
ac amheuaeth;
rhai wedi cefnu arnat,
wedi rhoi'r gorau
i weddïo
a'u heneidiau'n hesb.
Estyn iddynt
ddŵr y bywyd
ac adnewydda hwy.

**Arglwydd,
adfer a bywha ni,
a chadw ni yn dy gariad
hyd y diwedd. Amen.**

Duw Dyrchafedig

*"Molwch yr Arglwydd o'r nefoedd,
molwch ef yn yr uchelderau...
oherwydd ei enw ef yn unig
sydd ddyrchafedig
ac y mae ei ogoniant ef
uwchlaw daear a nefoedd."*
Salm 148: 1,13

*"Fel y mae'r nefoedd yn uwch na'r ddaear,
y mae fy ffyrdd i yn uwch
na'ch ffyrdd chwi,
a'm meddyliau i na'ch meddyliau chwi."*
Eseia 55: 9

Po agosaf y deuwn at Dduw, mwyaf ymwybodol y deuwn ei fod yn Dduw mawr a dyrchafedig, tu hwnt i'n deall a'n cyrraedd ni. Ond gwelwn ei wir fawredd yn ei barodrwydd i ymostwng at ein gwendid ni yn Iesu Grist.

Meddyliwch amdanoch eich hun, yn eich gwendidau a'ch anghenion, wedi eich hawlio, eich sancteiddio a'ch dyrchafu gan fawredd Duw...

Sanctaidd wyt ti, Dduw y Tad,
a greaist bob peth trwy dy Air.
Sanctaidd wyt ti, Dduw y Mab,
a waredaist y ddynolryw o
allu'r tywyllwch.
Sanctaidd wyt ti, Dduw yr Ysbryd Glân,
yr hwn wyt yn rhoi i ni
fywyd a goleuni. Amen.

Duw Llonyddwch

"Ymlonyddwch, a dysgwch
mai myfi sydd Dduw."
Salm 46: 10

"Fel hyn y dywed yr Arglwydd Dduw,
Sanct Israel:
'Wrth ddychwelyd a bod yn dawel
y byddwch gadwedig,
wrth lonyddu a bod yn hyderus
y byddwch gadarn.'"
Eseia 30: 15

★

Y mae llonyddwch yn gyflwr ysbrydol sy'n dibynnu, nid yn unig ar sicrhau distawrwydd o'n hamgylch, ond ar ddistewi pob llais cythryblus ynom: ein teimladau berw, ein dychmygion ofer, ein hofnau blin a'n rhagfarnau croch, ac ymagor i bresenoldeb Duw ynom ac o'n hamgylch, gwrando ar sibrydion ei Ysbryd, mwynhau ei gwmni, a gorffwys yn ei hedd.

Gwrandewch ar y distawrwydd ynoch ac o'ch amgylch, a gadewch i Dduw droi y distawrwydd yn dawelwch, y tawelwch yn llonyddwch, a'r llonyddwch yn dangnefedd...

★

Arglwydd, yr wyt yn llenwi
pob eiliad â'th dangnefedd;
helpa ni yn yr eiliadau hyn
i ymlonyddu ac i ymagor
i rin dy bresenoldeb.
I ni, ac i bawb sydd
mewn terfysg a phryder,
dyro dy hedd. Amen.

Duw Gras

*"Trwy ras yr ydych wedi eich achub,
trwy ffydd. Nid eich gwaith chwi
yw hyn; rhodd Duw ydyw."*
Effesiaid 2: 8

*"Gras a thangnefedd i chwi
oddi wrth Dduw ein Tad
a'r Arglwydd Iesu Grist."*
2 Thesaloniaid 1: 2

Gras yw ymwneud Duw â ni mewn cariad,
trugaredd a thynerwch, yn ein derbyn fel yr ydym,
yn maddau i ni ein pechodau, a thrwy Iesu Grist,
yn ail-greu ei ddelw ei hun ynom. Y mae rhodd ei
ras ar gael ond i ni bwyso arno ac ymddiried
ynddo.

*"Pwysaf arnat, addfwyn Iesu,
Pwyso arnat Ti;
Mae dy ras di-drai digeulan,
Fel y lli."*
F. R. Havergal, Cyf. Nantlais

Dduw grasol, molwn di,
am dy gariad tuag atom,
am dy waith drosom
ac am dy nerth ynom.

**A gras ein Harglwydd Iesu Grist,
a chariad Duw,
a chymdeithas yr Ysbryd Glân,
a fyddo gyda ni oll. Amen.**